KU-557-930

KRÓLICZEK

Norman Bridwell

Tłumaczenie: Katarzyna Precigs

Tytuł oryginału: *The Runaway Rabbit*
Adapted by Teddy Margulies
Illustrated by Carolyn Bracken and Sandrina Kurtz
From the television script „A Bunny in a Haystack" by Anne-Marie Perrotta and Tean Schultz

Korekta: Bożena Hulewicz
Wydawnictwo Egmont Polska Sp. z o.o.
ul. Dzielna 60, 01-029 Warszawa
tel. 0 22 838 41 00
www.egmont.pl/ksiazki

ISBN: 978-83-237-3370-6
Druk: Perfekt

SCHOLASTIC

EGMONT

– Króliczku, to jest Clifford –
powiedziała Emily Elizabeth.
– Cliffordzie, to jest Króliczek.

– Króliczek to ulubione zwierzątko mojej klasy – wyjaśniła Emily. – W ten weekend ja mam się nim zająć. Ale teraz muszę wyjść.

– Cliffordzie, czy zostaniesz w domu i popilnujesz Króliczka?

Clifford pomachał ogonem i szczeknął.
– Dziękuję! – ucieszyła się Emily
i pomachała mu ręką na pożegnanie.

Cleo i T-Bone przyszli do Clifforda w odwiedziny.

Clifford przedstawił im Króliczka.

– Jaki on śliczny! – zachwyciła się Cleo. – Możemy się z nim pobawić?

– Czemu nie? – powiedział Clifford.
– Ile kłopotu może sprawić jeden mały królik?
I otworzył klatkę.

Króliczek zmarszczył nosek... Nastawił uszu... I hop! W jednej chwili wyskoczył z klatki.

Zeskoczył ze stolika.
Przebiegł przez pokój.

Hop, hop!
I już go nie było!
Clifford z przyjaciółmi
popędzili za Króliczkiem.

A on przebiegł przez podwórko
i wskoczył do wydrążonego pnia drzewa.
T-Bone wcisnął się tam za nim.

Po chwili Króliczek wyskoczył z drugiego końca pnia. Ale T-Bone utknął w środku.

Nie było innej rady...
Clifford wziął głęboki wdech i...

SIUUUP!
T-Bone wypadł
na zewnątrz!

Ale gdzie się podział Króliczek?
Trzy pieski wszędzie biegały i węszyły.
Patrzyły w górę i w dół.

– Jest tam! – krzyknął Clifford.
– Raczej był! – odparła Cleo.
– Ojej, ale on szybko biega!

Clifford, Cleo i T-Bone biegli tak szybko, jak tylko mogli.

Króliczek był jednak szybszy.

– Gdzie on się podział? – spytał T-Bone.
– Nie wiem – zmartwił się Clifford.

– Ale ja wiem, dokąd bym poszła,
gdybym była królikiem – powiedziała Cleo.

Clifford, Cleo i T-Bone pobiegli do ogródka państwa Green.

I rzeczywiście, Króliczek tam był.

– Nie będzie chciał sam stąd wyjść – stwierdziła Cleo. – A ja jestem za bardzo zmęczona, żeby go złapać i zanieść do domu.

– Nie możemy złapać Króliczka,
ale możemy złapać marchewkę!
– powiedział ze śmiechem Clifford.

Króliczek całą drogę do domu grzecznie szedł za Cliffordem.

Clifford zaprowadził Króliczka do klatki.
Dopiero potem dał mu marchewkę.

– Nigdy bym nie pomyślała – wysapała Cleo – że jeden mały królik może sprawić tyle kłopotu.

I właśnie wtedy Emily Elizabeth wróciła do domu.

– Bardzo dziękuję za przypilnowanie Króliczka – powiedziała.

– Biedulek, cały dzień siedział zamknięty w klatce. Wypuszczę go, żeby sobie pobiegał.

Emily otworzyła drzwiczki.

– Pobawcie się z nim – poprosiła.

– A ja przez ten czas posprzątam klatkę.

– W końcu ile kłopotu może sprawić jeden mały królik?

Sprawdź, co pamiętasz?

Zaznacz prawidłową odpowiedź.

1. Króliczek należy do...
   a) najlepszej przyjaciółki Emily
   b) babci Emily
   c) klasy Emily

2. Clifford, Cleo i T-Bone znaleźli Króliczka...
   a) w kinie
   b) w ogrodzie państwa Green
   c) u państwa Brown

Co wydarzyło się najpierw?
Co było potem?
Jakie było zakończenie tej historii?
Przeczytaj poniższe zdania i oznacz cyframi 1, 2, 3 ich prawidłową kolejność.

Clifford zwabił Króliczka marchewką. ________

Króliczek uciekł. ________

Emily Elizabeth poprosiła Clifforda, żeby przypilnował Króliczka. ________

Odpowiedzi:

1c), 2b).

Clifford zwabił Króliczka marchewką. (3)

Króliczek uciekł. (2)

Emily Elizabeth poprosiła Clifforda, żeby przypilnował Króliczka. (1)